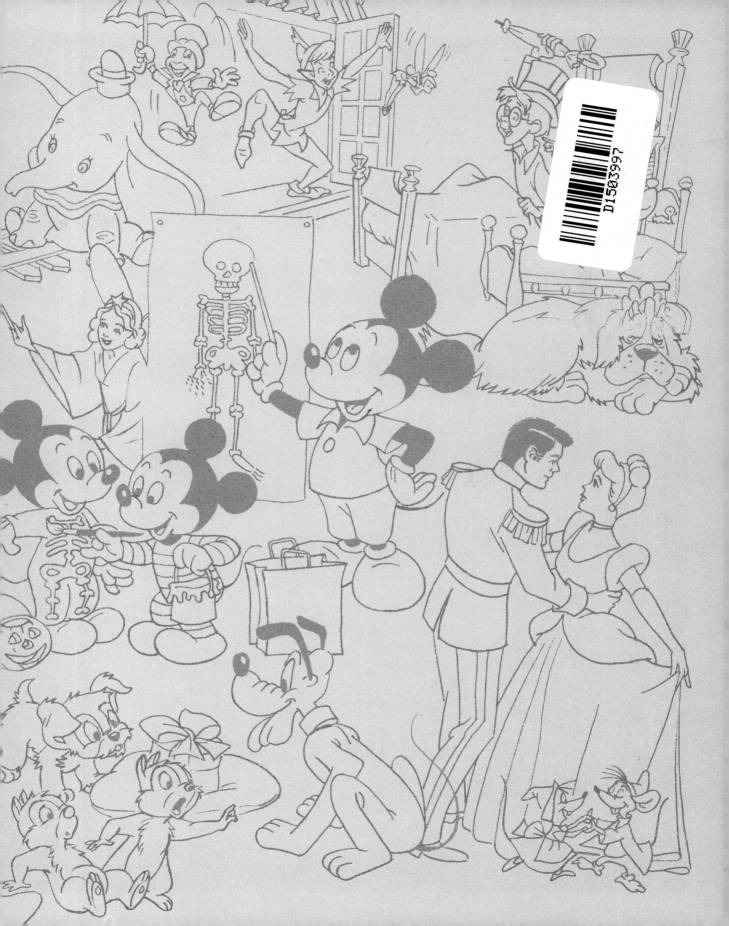

Ce livre appartient à

_____

# WALT DISNEY

VOLUME
18

# LES BELLES HISTOIRES

## COLLECTION
## J'APPRENDS EN M'AMUSANT

**BANTAM BOOKS INC.**

**Les Éditions TransMo Inc.**

Adapté de l'anglais par Gérard Cuggia

# Cendrillon

Il y a de cela bien longtemps, dans un pays lointain, vivait une jolie jeune fille. Sa belle-mère avait deux filles bien laides et méchantes qui avaient surnommé leur demi-soeur "Cendrillon".

Elle se blotissait en effet contre la cheminée pour se réchauffer. Anastasie et Javotte étaient si jalouses de Cendrillon qu'elles lui faisaient faire les plus durs travaux.

Le roi avait un fils qu'il voulait marier. Il fit préparer un grand bal à la cour et y invita toutes les jeunes filles du royaume. Anastasie et Javotte ne voulaient pas manquer le bal. Cendrillon souhaitait les accompagner.

Pour aller danser au château, il fallait une robe de bal. Cendrillon n'en avait aucune.

Lorsque sa belle-mère apprit que la jeune fille voulait accompagner les deux sœurs, elle lui dit: "Tu vas d'abord laver les fenêtres et les planchers, puis faire la lessive et nettoyer l'argenterie. Lorsque tu auras tout terminé tu pourras, si tu as le temps, confectionner une robe et te joindre à nous pour aller au bal."

Cendrillon savait bien qu'elle ne pourrait tout faire à temps. Elle se mit tristement à l'ouvrage.

Mais heureusement, les souris de la maison, qui étaient les amies de Cendrillon, avaient tout entendu. Elles se glissèrent dans la chambre des deux sœurs et récupérèrent des chutes de tissu, quelques dentelles et un collier qu'Anastasie et Jovette ne voulaient pas porter. De tout cela, elles firent une robe magnifique.

Une fois la robe terminée, Cendrillon, folle de joie, alla la montrer à sa belle-mère et aux deux sœurs. Celles-ci étaient furieuses de la voir si belle. Elle se jetèrent sur la pauvre Cendrillon en lui arrachant qui son ruban, qui son collier. La jolie robe fut bientôt en lambeaux.

Après le départ des deux soeurs, Cendrillon fondit en larmes. Elle courut au fond du jardin, toute triste. Soudain, la nuit s'illumina et dans une gerbe d'étoiles, une fée apparut. C'était la marraine de Cendrillon.

En voyant la jeune fille en pleurs, elle agita sa baguette magique. En moins de deux, une citrouille du jardin se transforma en un magnifique carrosse.

En un dernier coup de baguette, la marraine vêtit Cendrillon d'une merveilleuse robe et de souliers de vair.

La bonne fée fit cependant une mise en garde: "Dès minuit, le sortilège cessera. N'oublie pas... Minuit..."

Lorsque Cendrillon atteignit le palais, le bal venait de commencer. Les jeunes filles venaient, tour à tour, faire la révérence devant le prince qui s'ennuyait royalement. Mais tout changea quand il aperçut Cendrillon. Elle avait une beauté magique et le prince en tomba follement amoureux. Il ne voulut plus danser qu'avec elle, au grand désespoir d'Anastasie et de Jovette.

"Qui est cette belle demoiselle?", demanda le roi à la ronde. Mais personne ne pouvait lui répondre.

La soirée passa vite, très vite. Les premiers coups de minuit sonnèrent bientôt à l'horloge de la grande tour du château. "Ciel!", cria Cendrillon. Et elle se mit à courir, craignant de retrouver ses haillons en pleine salle de bal. Le prince partit à sa poursuite. Dans sa précipitation, Cendrillon perdit l'un de ses souliers de vair et ne prit pas le temps de le ramasser.

Le soulier de grand prix (le vair était un petit écureuil qui vivait au temps de Cendrillon et dont la fourrure était très recherchée) fut tout ce que le prince trouva. "Et je ne connais même pas son nom", répétait-il.

Au palais, le roi tempêtait. On avait laissé partir la belle inconnue dont le prince était amoureux fou. Pour la retrouver, il fut ordonné au grand chambellan de faire le tour du royaume car le prince avait dit: "J'épouserai celle qui pourra chausser ce soulier!"

À l'annonce de la visite du chambellan, la belle-mère de Cendrillon décida de la garder à l'écart. Comme elle soupçonnait la vérité, elle l'enferma dans sa chambre.

Pour la première fois de sa vie, la jeune fille protesta: "Laissez-moi sortir", suppliait-elle en frappant la porte. La méchante femme ne voulut rien entendre. Heureusement, Gus et Jac, les deux petites souris amies de Cendrillon, étaient là qui veillaient.

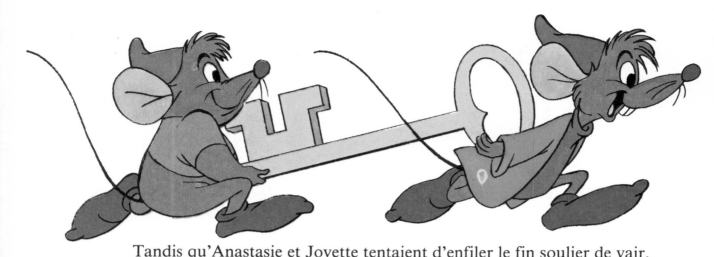

Tandis qu'Anastasie et Jovette tentaient d'enfiler le fin soulier de vair, les deux souris subtilisèrent habilement la clé de la chambre de Cendrillon. L'une d'elle s'était glissée dans la poche de la robe de la belle-mère. Cendrillon se précipita au salon.

"Puis-je essayer le soulier?", demanda-t-elle à bout de souffle. "Sûrement pas!", protesta la belle-mère. Et le chambellan hésitait. Mais il ne devait négliger aucune piste. Il présenta donc le soulier à Cendrillon. Il lui allait merveilleusement bien.

Au palais, dès qu'on apprit la nouvelle, ce fut la grande joie alors que la belle-mère et les deux méchantes filles étaient folles de colère. La marraine de Cendrillon, d'un coup de baguette magique, changea de nouveau les vêtements de la jeune fille en une toilette ravissante.

Quand le prince la reconnut, sa joie fut à son comble. Et tout le royaume fêta. On célébra les fiançailles, puis le mariage de Cendrillon et du prince. Et ils vécurent longtemps heureux.

# Le lièvre et la tortue

Ce jour-là, une tortue allait tranquillement son chemin sous le chaud soleil d'été. Soudain, un bruit sourd se fit entendre. En moins de deux, un lièvre vint à sa hauteur.

"Quelle lenteur!", dit-il avec mépris. "À cette vitesse, vous passerez la nuit sur la route."

Piquée au vif, la tortue (qui
connaissait la vantardise des lièvres)
proposa ce qui suit:

"Faisons une course. Je parie que
j'arriverai avant vous au lac", dit-elle.
"C'est une blague?", fit le lièvre un
peu inquiet. "Sûrement pas!", lui
répondit la tortue.

Sans attendre, le lièvre partit en
frappant le sol de ses pattes agiles.

Ne voulant pas être en reste, la tortue
poursuivit sa route.

Le lièvre était parti assez rapidement. Il
s'épuisa tant qu'il dut faire une pause. "Je
n'ai pas à m'inquiéter", songeait-il. "La
tortue est si lente qu'il lui faudra des
heures pour atteindre le lac." Mais avec la
chaleur du soleil, il s'endormit.

La tortue allait lentement mais
sûrement. Elle dépassa le lièvre endormi en
se gardant bien de faire le moindre bruit.

Le soleil rougeoyait quand la tortue arriva en vue du lac. Il était presque couché quand elle l'atteignit.

Entre temps, le lièvre qui s'était réveillé en sursaut, avait redoublé d'ardeur. Il filait à une vitesse folle. Mais cela ne suffisait plus et il fut bel et bien battu.

"Vous voilà enfin!", lui dit la tortue quand il arriva essoufflé au but.

Voilà qui prouve que lenteur et sécurité valent mieux que vitesse et précipitation.

# Le soleil
# et le vent

Le soleil et le vent étaient en dispute. "Je suis le plus fort", disait prétentieusement le vent. Et le soleil n'en croyait pas un mot. "Tranchons la question une fois pour toute", suggéra ce dernier.

"Vois ce paysan", dit le soleil. "Voyons lequel de nous deux pourra lui enlever sa veste."

Le vent essaya le premier. Il se mit à souffler. Le paysan porta la main à son chapeau. Le vent redoubla alors d'efforts. Le paysan lui tourna le dos. Les arbres se courbaient et perdaient des feuilles, la route n'était plus qu'un nuage de poussière.

En soufflant toujours plus fort, le vent se fit froid. Le paysan serra fermement son manteau, qu'il boutonna jusqu'au cou.

Le vent dut abandonner la partie. Vint le tour du soleil. Petit à petit, les nuages se dispersèrent. La chaleur bienfaisante du soleil inonda la campagne.

Puis l'astre du jour brilla de tous ses feux et l'homme dut retirer le manteau qu'il ne pouvait plus supporter.

Le soleil était gagnant. Le vent, mauvais perdant, fit la moue.

Cela prouve que la douceur peut parfois faire beaucoup plus que la force.

# Bambi

Bambi naquit dans les fourrés. Une pie bavarde assista à sa naissance et eut tôt fait d'ameuter toute la forêt. "Quel beau bébé!", s'était-elle écrié.

Ce n'est pas souvent que la forêt peut célébrer la naissance d'un prince. "Félicitations!", dit le hibou au nom de tous.

"Il s'appellera Bambi", avait dit la biche.

Au bout d'un moment, le petit faon se mit debout sur ses pattes frêles. Il tremblait un peu mais resta ainsi quelques instants, sans tomber.

Pan-Pan, le petit lapin, était lui aussi venu voir le prince de la forêt. Il allait devenir son grand ami.

Bambi ne passait pas son temps à dormir. Il put vite suivre sa mère dans les sentiers. Un matin, Pan-Pan vint le rejoindre. "Bonjour!", lui dit-il.

Distrait, Bambi buta contre un rocher et tomba face contre terre, ce qui fit rire le lapereau. En relevant le museau, le faon aperçut un oiseau. "Qu'est-ce que c'est?", demanda-t-il.

"C'est un oiseau", expliqua Pan-Pan qui était heureux de jouer les professeurs. "Si tu veux, je t'apprendrai le nom de tous les animaux", lui avait-il proposé. Et c'est ainsi que naquit une amitié durable.

Un jour, alors que Bambi se promenait, il rencontra Pan-Pan et sa famille. Le lapereau présenta ses frères et ses soeurs, qui tapaient joyeusement du pied.

En jouant, Bambi vit un papillon. "Tiens, un oiseau", dit le faon en se souvenant de la leçon de Pan-Pan. "Mais non", corrigea le petit lapin. "C'est un papillon."

Puis Bambi plongea le museau dans une touffe de fleurs odorantes en répétant: "Papillon! Papillon!".

"Mais non", corrigea de nouveau Pan-Pan. "Ce sont des fleurs." À peine avait-il terminé son explication qu'une mouffette pointa son museau. Surpris, Bambi l'accueillit en disant: "Fleur!", ce qui amusa bien la mouffette.

Le lendemain, Pan-Pan et Bambi se retrouvèrent pour jouer. Au bout d'un moment, le ciel s'obscurcit et de gros nuages noirs roulaient au-dessus de la tête des deux amis.

"C'est l'orage qui s'annonce", expliqua Pan-Pan. "Il vaut mieux rentrer se mettre à l'abri." En disant ces mots, le lapereau partit en courant.

Bambi ne connaissait encore ni la pluie ni l'orage. Le premier coup de tonnerre le fit sursauter. Il partit à son tour en courant.

Une fois à l'abri, Bambi trouvait le bruit de la pluie agréable. Les lourdes gouttes d'eau tambourinaient sur les feuilles. Bien au sec, le faon ne craignait ni la pluie ni le froid. Il se blottit contre sa maman et bientôt, sombra dans un profond sommeil.

# Le trésor
# des trois petits cochons

Naf-Naf, à force de travail, avait construit une jolie ferme. Ses deux frères, Nif-Nif et Nouf-Nouf étaient paresseux et le travail ne leur disait rien qui vaille. Ils préféraient danser et s'amuser.

Vint le jour où Naf-Naf en eut assez de supporter ses fainéants de frères. Il eut une idée géniale.

"Je dois partir à la ville pour quelques jours", leur dit-il. "Pendant mon absence, vous garderez la ferme. Je crains beaucoup pour le trésor qui est caché dans ce champ. Alors soyez vigilants!"

Sur ce, il les laissa seuls.

Le lendemain matin, au lever du soleil, Nif-Nif et Nouf-Nouf avaient déjà pelle et pioche en mains. Leur frère leur avait parlé d'un trésor. Qu'à cela ne tienne, ils le trouveraient bien!

Il faisait chaud, mais le soleil ne suffisait pas à les arrêter.

Vers midi, les deux frères firent une pause. Ils avaient déjà retourné la moitié du champ. Mais le trésor restait introuvable.

L'après-midi passa de la même façon. Le soir venu, Nif-Nif s'avoua vaincu: "Il n'y a jamais eu de trésor", dit-il. "Naf-Naf nous a joué un bon tour", conclut Nouf-Nouf.

Les deux petits cochons décidèrent de cesser le travail. Pour s'amuser, ils vidèrent les sacs de graines que Naf-naf avait laissés là. "Nous avons travaillé toute la journée", dit Nif-Nif. "Notre frère n'aura qu'à ramasser lui-même ses graines", ajouta Nouf-Nouf.

Quand il fut de retour, le lendemain, Naf-Naf rit de la crédulité de ses frères. Le champ renfermait bel et bien un trésor. Écoutons les explications du petit cochon:

"Celui qui sème a espoir de récolter un jour. La terre protège les graines; elle nourrit les plantes qui donnent enfin des fruits. C'est là le trésor de la terre."

Et ce trésor appartient à ceux qui savent travailler quand il le faut.

# Un mauvais choix

Par le plus grand des hasards, Pluto avait trouvé un os magnifique. Combien de repas délicieux il allait faire!

Une fois la surprise passée, le brave chien fut pris d'un doute. Si un chien du quartier venait lui voler son trésor...? Méfiant, il décida de se retirer dans les bois. Là, croyait-il, il pourrait savourer son os tout à son aise.

Chemin faisant, le chien passa sur un pont. En voyant son reflet, Pluto se mit à grogner.

Il y avait là, dans le ruisseau, un chien qui tenait dans ses crocs un gros os. "Il me le faut", pensa Pluto.

Sans prendre le temps de réfléchir, le pauvre chien ouvrit la gueule et s'apprêtait à sauter sur son adversaire. Quel dommage! Le bel os tomba droit dans la ruisseau.

Alors qu'il espérait doubler son trésor, Pluto venait de tout perdre pour un reflet dans l'eau. Il aurait dû savoir que ce qu'on a vaut toujours mieux que ce qu'on pourrait avoir.

# Les deux souris cousines

Il était une fois deux souris qui étaient proches parentes. L'une était la cousine de l'autre. La première habitait la campagne, tandis que la seconde était une souris de la ville.

Un jour, la souris des champs reçut une lettre de sa cousine. "Viens passer quelques jours chez moi; tu connaîtras enfin les joies de la grande vie", lui proposait-elle. Le voyage fut décidé.

Les salutations étaient à peine terminées que la souris de ville amena sa cousine au garde-manger. La souris des champs se lança avec gourmandise sur un morceau de fromage. Puis on passa au céleri. Vint ensuite le tour du jambon qu'elle attaqua à belles dents. Jamais elle n'avait mangé de la sorte! C'était tout un festin. Les yeux plus gros que le ventre, elle voulut goûter au contenu d'un petit pot placé loin, au fond du garde-manger. Mal lui en prit. La souris poussa un cri formidable; elle venait d'avaler une bonne portion de moutarde forte.

Le bruit attira le chat de la maison.

Un peu folle d'enthousiasme, la souris des champs prit le chat par surprise et lui botta l'arrière-train. Quelle audace! Mais il lui fallut ensuite courir à en perdre haleine.

La souris de ville s'était réfugiée dans son trou. Sa cousine réussit à échapper au chat en sautant par une fenêtre qu'on avait, par bonheur, laissée ouverte.

Ce n'était toutefois pas la fin des ennuis. La souris des champs se retrouvait au beau milieu de la chaussée.

Soudain, un bruit d'enfer se fit entendre. La souris eut tout juste le temps de faire un saut de côté pour éviter les roues meurtrières d'un tramway. Elle put à peine reprendre son souffle qu'elle fut cette fois, effrayée par une automobile qui passait en trombe. "Quelle vie!", pensait-elle.

En fin de compte, elle prit le chemin de sa campagne natale en se promettant bien de ne jamais remettre les pieds en ville. "La liberté et la tranquillité vallent mille fois les plaisirs de la ville!", conclut-elle.

# Le seau de lait

Donald passait quelques jours chez Grand-Mère Donald. Un matin, après la traite, Grand-Mère lui demanda d'aller au village vendre un peu de lait.

Donald s'exécuta. Chemin faisant, il pensait: "Avec le produit de la vente de ce seau de lait, j'aurai bien de quoi acheter quelques oeufs. Si j'en prends bien soin, j'aurai à n'en pas douter, plusieurs poules en santé. Ces poules feront de bonnes pondeuses... qui me donneront encore plus d'oeufs... puis de nouveau des poussins et des poules. En moins de temps qu'il n'en faut pour le dire, mon lait m'aura rapporté une fortune!"

Donald était heureux. Le seau de lait qu'il allait vendre au village allait lui rapporter une fortune.

Fou de joie, il en oublia de regarder où il mettait les pattes. Il perdit finalement l'équilibre et tomba au beau milieu du chemin. Le seau de lait se répandit par terre.

Du même coup, tous les beaux espoirs s'envolaient. Et qu'allait dire Grand-Mère en apprenant ce qui venait de se passer?

Cela prouve qu'il faut être patient et attendre que les choses viennent en leur temps car le hasard et la chance ont aussi leur mot à dire.

# Blanche-Neige et les sept nains

Dans un pays fort lointain, il y a de cela bien longtemps, naquit une princesse au teint blanc comme neige, aux lèvres de rose et aux cheveux d'ébène. La reine sa mère mourut peu de temps après sa naissance.

Un an plus tard, le roi, qui supportait mal la solitude, se remaria. La belle-mère de Blanche-Neige, car c'était là le nom de la princesse, était belle, mais aussi méchante et jalouse. Elle avait un miroir magique à qui elle demandait, chaque jour, qui était la plus belle du royaume. Et le miroir répondait invariablement que la reine était la plus belle.

Les années passèrent. Blanche-Neige devenait toujours plus belle, au grand désespoir de la reine. Celle-ci décida donc de la traiter comme la dernière des esclaves. Elle la fit habiller de haillons et lui confia les travaux les plus durs.

Ce matin-là, comme à son habitude, la reine demanda au miroir: "Miroir, dis-moi qui est la plus belle". Et le miroir magique de répondre: "Avec son teint de neige, ses lèvres de rose et ses cheveux d'ébène, Blanche-Neige est la plus belle."

La reine entra dans une colère terrible. Elle fit venir le chef de sa garde et lui donna des ordres. Il devait perdre Blanche-Neige dans la forêt puis la mettre à mort.

Le pauvre homme ne pouvait désobéir. Mais il alla trouver Blanche-Neige et lui expliqua sa douloureuse mission. Il fut décidé qu'il la conduirait dans les bois mais qu'elle aurait la vie sauve. La princesse, cependant, ne devait plus revenir au château.

À la tombée de la nuit, Blanche-Neige
était bel et bien perdue.

Guidée par les oiseaux, attendris par
ses larmes, la princesse arriva à une
maisonnette construite à l'ombre de
grands arbres. On aurait dit une
maison de poupées. Elle y entra. La
maison était vide et il y régnait un
désordre incroyable. "Les enfants
qui vivent ici ont besoin d'un peu
d'aide", pensa Blanche-neige. Et
elle se mit au travail, frottant, lavant
et essuyant.

Quand la fatigue se fit sentir, elle
passa à l'étage. Là, elle vit sept lits,
sur lesquels étaient gravés des noms
charmants: Prof, Joyeux, Atchoum,
Simplet, Grincheux, Timide et
Dormeur. Elle fit les lits puis tomba
endormie.

À son réveil, elle vit sept nez également rouges et autant de petits hommes qui l'observaient avec curiosité. Elle leur raconta son histoire et les sept nains, attendris, décidèrent de lui donner asile.

Blanche-Neige était heureuse chez les sept nains. Chaque matin, ils partaient travailler à la mine. Elle les gâtait un peu. Chaque soir, après le repas, c'était la fête. On dansait, on chantait et on riait.

Au château, la reine était heureuse de s'être débarrassée de Blanche-Neige. Sûre d'elle, elle demanda une nouvelle fois à son miroir qui était la plus belle du royaume. Et le miroir magique répondit: "Avec son teint de neige, ses lèvres de rose et ses cheveux d'ébène, Blanche-Neige est la plus belle."

C'est alors que la méchante reine comprit que le chef de la garde l'avait trompée. Elle était tellement en colère qu'elle en brisa son miroir. Puis elle descendit dans les caves du château.

Là, elle se métamorphosa en sorcière et chercha, dans l'un de ses livres de magie, une recette pour vaincre la beauté de Blanche-neige. Elle arrêta son choix sur un poison qui provoquait un sommeil éternel. Elle prépara la mixture et y trempa une pomme.

Grâce à sa magie, elle put facilement connaître la cachette de la princesse. Elle alla donc à la rencontre de Blanche-Neige qui ne se méfia pas d'une vieille femme qui demandait à boire. Pour la remercier, celle-ci lui offrit sa pomme. À la première bouchée, Blanche-Neige tomba évanouie.

Les animaux de la forêt qui avaient assisté à la scène, étaient allés prévenir les sept nains. Ces derniers arrivèrent malheureusement trop tard.

Ils poursuivirent la méchante sorcière
jusqu'au bord d'une falaise. Là, la reine
affolée perdit pied et tomba dans le vide. On
ne la revit plus jamais. Personne ne la
pleura.

Ce fut un triste retour. Les sept nains trouvèrent Blanche-Neige
endormie. Ils lui préparèrent un lit douillet. Ils ne pouvaient se résigner
à la quitter.

Et le temps passa. Un jour, un prince vint à passer dans les bois. Il avait entendu parler d'une princesse merveilleusement belle, endormie au plus profond de la forêt. Dès qu'il la vit, il tomba amoureux d'elle et lui donna un baiser.

Cela suffit à briser le sortilège et la princesse ouvrit les yeux, pour la plus grande joie des sept nains.

Blanche-Neige amoureuse à son tour, quitta la forêt en compagnie de son prince charmant. Les sept nains et tous les animaux de la forêt partageaient son bonheur.